CW00406094

Demeures du fragile

Jacques-André Libioulle

Demeures du fragile
Recueil

LE LYS BLEU
EDITIONS

© Lys Bleu Éditions – Jacques-André Libioulle

ISBN : 979-10-377-7623-5

Bâti sur une dynamique du vide, sur un « moins-dire » qui donne à ressentir l'inaccessible et induit un « assouplissement spirituel », le haïku distille des instants au goût d'éternité.

À peine noté, cependant, *l'instant* n'est plus que souvenir de lui-même et se fait fragment d'une éternité imaginée, tendue, où se déploient l'instable, le fragile, reflets des lumières ou des leurres qui nous hantent. L'instant est *la demeure du fragile.*

Saisons

Saisons à fleurs et à cris
Et supplications vaines
Contre le temps

Ô silencieuses saisons
Pirogues
Gisant dans l'après

Primitive lumière
Levante couchante
Saison de haute main

On vous les rabâche
On vous les rebelote
On vous les plie en quatre

Le train des saisons
Sans loco sans rien
Et les tickets sont chers

Vous usent les pieds
Les ans vous tirent
Les dents les saisons

Il y avait des saisons
Des hommes obscurs
Ont massacré cet amour

Les saisons
Leurs retours
Illusion

De brumes vers la nuit
Le même pêcheur
Les saisons s'en foutent

Masque ou musique
Ce visage d'or
D'où partent les saisons

Saison d'or et yeux clos
De souffle et mains jointes
Et bouches de soleil

À contre brume
Saisons vers quelle
Lueur plausible ?

Toi tes yeux en fleurs
Ton printemps si vert
Tes lèvres à qui veut

Tu fais le printemps
Je ne refais pas l'été
Nous vivons l'hiver

Dents par milliards
Serties d'or ou pas
Nous mâchons le temps

La digue des saisons
Et l'océan dérisoire
Qui bat et rebat se débat

Toutes saisons dehors
Les seins nus
Pour allaiter demain

Coin de ville vent
Coins de murs pluie
Du sable vole égaré

Brumes en tenailles
Le ciel coincé
Entre deux pins

Montagne céleste
Je suis ton grain
Qui monte sans fin

Zazen en Suisse
Les montagnes
Toujours en posture

Voici le miroir
Ma boussole à
Bourlinguer ou pas

Ombres excitées des pins
Sur le muret blanc nu
Écritures démentes

Le large au loin
Le large pour du pain
Goélands mendiants

Avis de tempête
Avis d'oiseaux rares
Jaillissant du gris

Orage
Page
Bouzillée

Au ras du gris
Oiseau seul
Faisant route

Mouise et remouise
Mouettes trempées
Mauvais jours

Soleil trop rouge
Étoiles trop blanches
Saison en rade

La mer perd
Ses oiseaux
Nous les plumes

L'hiver
Cogne
Puis meurt

J'approche je hume
La fleur respire
Point commun

Épave d'un coca
Sur le parterre
Aux fleurs naïves

Les oies s'éreintent
Couvent puis les corbeaux
Dévorent l'oisillon

La cascade
À tue-tête
Contre les klaxons

Ah ! Folles saisons
Vos tambours à rabattre
Le caquet du temps

Averses cyniques villes
De plomb des oiseaux sans ciel
Cherchent un nid pour mourir

Des chroniques meurent
En des lieux de brume
Dans un Nord inaccessible

Par une absurde colère
Un arbre m'a jeté ici
Sur ses racines où je meurs

Tombent les feuilles
Sur le ventre du
Bouddha assis nu

Amours

Dans ton souffle
Je me respire
Et me souris

Je me revisite
Par ta langue
Ta peau tes yeux

Je refais l'amour
Entre les lignes
Dans un vieux livre

Tu vas
Je suis
Et tombe

Perdu dans un livre
À ronger l'amour
Vieux rat de midi

Tu es
Puis plus
À chialer

Te tenir
Te retenir
Te traverser

Que tu sois moi
Moi toi
Où sommes-nous ?

Amours de princesses
De chevaliers perdants
Mais au grand cœur

Amours d'oiseaux rares
Perchés dans l'air
Sans pouvoir descendre

Amours d'évangiles
Toutes faces voilées
À la barbe de Dieu

Clignements de l'amour
Dans ces joncs verts
Butinés par la brise

Battements de l'amour
Dans ces vieux volets
Qui grincent aussi

Amours de haut vol
Perdus en basse terre
Qui revendent leurs plumes

Ton désir
Tes cordes
Tes nœuds

Brûlé
Pas de cendres
Ardent

Tes dentelles
Tes froufrous
Ta chair menteuse

Le désir va
Revient
Et te casse

Épaule
Nue
Tourment

Corde pendue désir
Corde tordue désir
Moi funambule du rien

Ton certain sourire
Tout en figues et raisins
Me fait les poches

Mec au large
Fille en rade
Destin de mer

Tes lèvres pourpres
Offrant mille fleurs
À chialer de bonheur

Toi ta vulve
Le diable
Trio malin

Tes jours ton velours
Un rêve éveillé
Ne pas déranger

Prendre la mer sur
Ta peau ton visage
Et dériver sans fin

Encre de Chine
Me répandre
Sur ta peau blanche

Le pas encore
Ce vide chaud
Où vous déjà

Quand je serai
Dans vous
Où serez-vous ?

L'œil du chat
Te caresse
Bien mieux que moi

Amours en potiches
Exhibant leurs choux gras
À la face de navets

Mes yeux t'avalent
Tes yeux cavalent
Je perds mon temps

Tes bras si nus
Deux fouets
Qui me cinglent

Ton corps
Cap de
Bonne espérance

Ton souffle en pavois
Tes seins debout
À perdre haleine

Rêves de Chine
Rêves de femmes
Aux doigts de bambous

Lune caressante
Sur le fleuve jaune
Chair délicate de l'eau

Pêcheur guettant
L'amour dans le
Bruissement des joncs

Tu vous vous tu
Mon désir piétine
J'ai la mort au cul

Ton sang si doux
Ton verbe si chair
Tes barbelés si purs

Amours sans jour
À contre-jour
La lumière est dehors

Quand la misère
Se faisait cathédrale
L'amour pleurait à genoux

Tu pépies je sais
Et pupilles aussi
Mon amour de cour

Retour des chapeaux anglais
Princesses et consorts
Et de l'amour au bénitier

Fille-bonheur
La patte levée
Pour les passants

Nous nous serrons la taille
Elles nos âmes sœurs
Elles ne pipent mot

Mon cœur bat
Tes yeux battent
Clown et tambour

Tes larmes de glace
brûlant tes globes
En pleine face

L'amour ignore
Le lieu d'où il part
Comment reviendrait-il ?

Sur ta peau j'écris
Dans ta chair corrige
Je relirai plus tard

Sur ta gorge d'amour
Des oiseaux du large
En terre inconnue

Pars
Laisse là le soir
Et nos ombres

Il pleut des colombes
Comme il pleut l'amour
Quand tu plantes demain

Illusion dans mes mains ?
Ton corps transparent
Tes voiles évanouis vides

Gazon tiède et doux
Allongé sans Wang
J'enrage contre la Chine

Ce banc solitaire
A connu bien des pluies
Et nos fracas

Avec sa gueule toute
Dévorée ce banc
Se souvient de nos tempêtes

Si tu sors pars
Si je repars reste
Pour le grand retour

Jours étirés
Femme sèche
J'ai peur

L'étincelle toujours
Cherche affolée
Une chandelle

Toute chair retient
Nulle ne pardonne
Le futur qui sera

Nous allons chuchoter
Par un jour inconnu
Même de lui-même

La vie est sel
La vie est sale
La vie nargue ta chair

Dans mon sommeil le rêve
Qui ne dort jamais
Me grignote dans tes bras

Chair jusqu'à plus rien
Où quelque chose
A souffert

Humeurs

Pleurer et puis rire
Et faire l'addition
Avant de mourir

Ici chiens interdits
Idem pour les hommes
Même tenus en laisse

À force de tourner
Autour de la vieillesse
Je vais y tomber

Tant d'aubes et crépuscules
Tant de transes et tant d'amers
Et d'étés indiens perdus au loin

Dire bonjour dire merci
Dire au revoir revenir
Repartir et puis bonsoir

Allegro feroce
Poi andante
Et basta

Pouvoir séjourner sans fin
Où les arbres sourient
Et parlent aux autres arbres

Noire devant
La tache
Noir derrière

En dingue sauter
Devant l'éphèbe
Nu du Jardin

Paumés du matin
Abrutis du soir
C'est Paris bonsoir

Bordels minute
Au pied du Sacré-Cœur
C'est Paris-la-couille

Trottoirs à branleurs
Nitouches manquées
C'est Paris paradis

Gonzesses truquées
Gogos de service
C'est Paris perdu

Luxembourg soleil
Un bon livre
C'est Paris béni

Sur le toit du monde
Des poubelles pleines
À refaire le monde

Le fric les clopes
La sainte bouffe
Le Français quoi

Pas de fric ?
Ça fait mort
Ça fait rat

Refaire oui
Une poubelle
Encore plus belle

Elles caquettent
Ils pirouettent
Vie ordinaire

Mal au ventre
Sortie des cons
Du dimanche

Paroles de fleurs
Paroles de femmes
Paroles qui tombent

Ils palabrent
Et l'arbre meurt
Rongé de mots

Au milieu des pins
Si élancés sereins
Je me hais de penser

Élancé
Puis tordu
Moi sans doute

Tendance à bouffer
Puis me rebouffer
Triste habitude

Septembre
Le soleil tombe
De fatigue

Je m'arpente
Me mesure et
Perds mes comptes

Moi avec toi
Toi avec toi
On s'enlise

Oh ! machines à sous
Où tant de rêves
Se vomissent

Le vacarme
À peau dure
Monde à souls

Un arbre pleure
Si on écoute
À travers le vent

Plein vent mauvais
L'année renaît
Des arbres grincent

Vent dressé droit
Arbres couchés
Coït de l'hiver

Et demain ?
Puis demain ?
Et puis quand ?

Passe une fille
Presque nue
Le vent bande

Des types pissent en chœur
Pour le premier de l'an
Année déjà bue

On braille
On se teint
On s'éteint

Un nez rouge
À la télé
Le Président

L'année revient
Toujours pimpante
Jouant la conne

Il tonne
En bêlant
Le Président

Il sourit
De quelques dents
Le Président

Autobus bondé
Une fille soutient
L'avenir dans son ventre

Je te tiens par ça
Je te retiens par là
Je te détiens

L'or des sans-le-sou
Ça existe bien
Dit le Président

Le temps va changer
Les temps aussi
Que feront les gens ?

Année de grâce
Année grasse
Et qui meurt obèse

Que font les vagues
Que fait le sable
De mes pas usagés ?

Ciel fracturé
Des couleurs cognent
Entre les troncs bas

L'heure n'attend pas
L'heure est vendue
L'heure est passée

Je boute en train
J'abats le jour
Je voyage

Je ferme le jour
J'ouvre la nuit
Je suis éveilleur

Pas de fric
Pas de sang
Pas de veine

J'écris mal
J'écris vieux
J'écris vain

Je t'aime mégot
Je t'aime cul sec
Je t'aime chou blanc

C'était au temps où
C'était au temps des
C'était sans le temps

Lampes bleues
Lampes d'anges
Ferme les yeux

Bon à qui ?
Bon pour quoi ?
Bon à valoir

Noël sans bougies
Noël sans pardon
Noël au néon

Jamais sale
Le temps qui vient
Juste encre noire

Tête de lard je vais
Le cochon aux tripes
Les pieds au nez

Je me dévore
Je me recrache
Je suis en colère

Me pendre avec
De la ficelle
Pour marionnettes

Grande colère
L'arbre est abattu
À coups de mes poings

Langue-couteau
Mors aux dents
Temps de colère

Traqué et
Matraquant
Temps noirs

Sur mes grands chevaux
Je frappe de mes fers
Ma poitrine rue

Peut venir du ciel
Ou de la terre
Le feu est partout

Le soleil est cassé
Gel à pierre fendre
Matin de colère

Merde de soleil
Qui vient et repart
Ne m'attend jamais

Elle te sourit
Comme on pêche
Pour passer le temps

Tu te rêves mec
Chaloupant au bar
Elle te voit gogo

Guitares un peu fêlées
Et machintruc sono
Ferré tangue et vient mourir

Vieux swing rapiécé
Le soleil braille
Y'a du tuba dans l'air

Ah ! les litanies
Des réponses
Sans questions

Ah ! les belles idées
Toujours mal refermées
Qui débordent sur le feu

Ils traversent tes fibres
Les oiseaux du bonheur
Pour devenir colère

Il engueule son chien
Au garde-à-vous pas fier
C'est à Trocadéro

Jours encore

Voici le rivage d'aube
Où des jours s'enlisent
Que vous n'avez pas aidés

Très hauts jours
Moisis retrouvés
En bout de page

C'est la hache
Qui tranche les jours
Comme toujours

Avant l'histoire
De cette histoire de jours
Le charabia de Dieu

Ceux qui n'ont plus de jours
Leur compte épuisé
Comment vivent-ils ?

Si un jour si plus tard
Si demain et consorts
Même à un jour près ?

Je jour
Tu joues
On se nuit

Détroits du jour
Magellan de
Songe et fumées

Jours ineffables
Où la langue
A perdu pied

Il tombait du jour
Comme il neige
Sur des têtes sans nom

Oiseaux migrateurs
D'une aile de nuit
À l'aile du jour

Les jours meurent
Madame
Le séjour demeure

Du grand Jour-Mère
Naissent les petits jours
Qui se vengeront de ça

Tu es jour
Tu es jeune
Tu ne sais pas

Quand les jours marchaient
Vers le soleil
La terre s'inclinait

Jours-Dragons
Queues pendues
Au ventre de tout jour

Jours nés de cuisses
Finissant charognes
Loin des jours de souffle

Et les jours étranglés
Que l'on cache
Pour que demain chante ?

Voici un nouveau jour
C'est dans la Presse
Qui vit de plaies et ragots

C'est de toi qu'il s'agit
Jour bien-aimé
Qui te force à reculer ?

Jours de carnaval enfin
Pour que le mouton pisse
Au pied de temps nouveaux

Jours de fleurs et de fruits
Qui tombent mûrs ou pas
Fatigués

Toupilles d'abrutis
Qui refont le monde
Sur le dos des jours

Boucher les trous
Des jours
Rêve ignare

Tant de pleurs de heurts
Toi dans tes heures
À nous gifler de fleurs

Entre cerises
Et queues de pelle
Le chant du jour

L'homme étendu mort
N'a plus de colère
Il est à jour

D'un côté tu éclaires
Liberté d'un jour
De l'autre tu fientes

Puis tu reviendras ici
D'où tu n'es pas parti
Qui te reconnaîtra ?

Les jours se défont
Qui cherchaient lieu sûr
Dans ton brouillard

Trous d'air
Retour des jours
Aspirés

Page jaune ?
Encre bue ?
Va-t'en !

Procession de bonshommes
Chuchotant de nouveaux jours
Sur la piste des jours

C'est une corde dit l'un
Un violon dit l'autre
Un sanglot dit le jour

Le jour tombe
La nuit se casse
Journée boiteuse

Et bonjour le jour
Et bonsoir le jour
C'est à dormir debout

Jours de paille
À ruminer
L'œil bovin

Trouille qu'un jour rebelle
Un jour ne se taille
Ce qui reste de jours

Le jour s'écrit
Puis se rature
Comme toi et moi

Éclats de noir
Jaillissant du noir
Se croyant étincelles

Tu danses fifille
Sur ta corde raide
Plus tard le fil des jours

Quand la rose des jours
Tombait en pétales
Le ciel les ramassait

Et ces jours de lotus
Ouvrant mille pétales
Dont on ne parle jamais ?

Est-ce le jour qui
Miaule sur les toits
Toi le diapason ?

Non ce n'est pas l'océan
Qui chavire mais
Tes foutus jours

Des jours crèvent
D'autres rappliquent
Sans l'avis de personne

Voici le jour
Du jour sans jour
Personne n'y croit

Qui es-tu dit l'étranger ?
Je suis un jour dit le jour
Tu mens ! Nul jour ne vient ici

Champ d'honneur
Froide mémoire
Tous oiseaux interdits

Rebâtir bâbord
Reconstruire tribord
Pour le navire à venir

Que l'on se pende au dos
Que l'on s'accroche au ventre
On se prend les jambes

Détours sans chemins

Séjours de vadrouille
Qui arpentent l'esprit
Meurent en souvenirs

Lieu à caresse
De sable poitrine
Nue de la terre

Dans un bâti de chair
Je veille et demeure
Espérant plus de veine

Oui des terres décrochent
Se font poussière
Comme tâche ultime

Lieu d'avenir
En ronge-frein
Mordu de désirs

Rebâtir le Nord
Raboter le Sud
Puis vider les lieux

Chausey de vent de cogne
Rocher viking vigie
D'une Île de Pâques

Entre terre-pleins
Et gratte-ciel
J'épuise l'espace

À la place de l'eau
Viendra l'air et
L'espace sans lieu

La danse frappe
La danse claque des os
Vite ! Une contredanse

Je n'entre pas dans l'arbre
C'est lui qui me happe
Et m'oblige à vivre en sève

La danse attend c'est pour
Longtemps les oiseaux
Exigent le retour des plumes

Les arpèges du ciel ne
S'éteignent pas mais couvrent
Des siècles loin après le temps

Rires gras de la contrebasse
Devant ces soies, dentelles
Jupons et flûtes légères

Ton feu est lumière
Ta lumière est soleil
Ton soleil une vieille histoire

En toi plusieurs voix
Violes Clavecin hautbois
Et d'autres cordes au vent

Oiseaux avec chants
Oiseaux à contre-chants
Dans l'allée des diapasons

Pour demain
D'autres musiques
Et la tonique du ciel

J'étais bergère sous le ciel
Toutes mes brebis tondues
Pour un visiteur du diable

Je prie au-dedans de toi
Comme le sculpteur de Moissac
Qui consolait la pierre

Il l'a fait il a laissé
Le début pour la fin
La fin pour qui vient

D'autres ailes pour
Des voies célestes
Qui vont sans retour

Voici tes ailes en cendres
Et voilà le feu
Quand renaîtras-tu ?

Vers ces terres tu émigres
Dont personne n'a parlé
Sinon ton propre cri jadis

Tu danses en l'air
Je danse en bas
Tout sol évanoui

Qu'ai-je connu de tes mains
Ta parole qui vole
Ou le murmure d'un destin ?

Chenille sur tes cheveux
Je m'éveille papillon
Transformé par ton or

Que serais-je avec toi ?
Que serais-tu sans moi ?
L'amour vit de questions

La flûte dort
Le serpent sort
La jarre se tord

Ventres de clameurs
Nombrils ouverts
Pour la gloire des rois

Qui es-tu ? Ton souffle
Si léger muet
Se démonte d'une brise

Tambours à double membrane
Et quatre peaux quand tes mains
Débattent du son du monde

Les feuilles d'été me lèvent dans les airs
Celles d'automne me lâchent
D'autres, dit-on, viendront me couvrir

Il est en toi l'oiseau de
La guérison il attend
Que tu déploies tes ailes

Où vas-tu ?
Je vais au bois
Voler des parfums

J'étais ton début
Tu étais ma fin
On a tout recommencé

L'histoire revient
Elle n'a pas bon teint
Qui l'a rappelée ?

L'oiseau a dansé sur le bec
Les cygnes debout sur l'eau
Effrayés par le reflet

Dans les fumées du soir
Déjà la brume du jour
Qui tousse puis se rendort

Il viendra l'oiseau de la
Guérison si tu l'appelles
Il dompte les précipices

Je reviens où tu pars
Tu pars où je reviens
Chassé-croisé d'amoureux

Les édredons libèrent
Leur plumage
Mirage d'air tendre

Tu te mets hors de toi
Il se met hors de lui
Et la guérison s'en va

Tous écoutent le tambour
Qui frappe du dehors
Ignorant qu'il cogne au-dedans

Il déploie sa langue d'or
Et s'exprime en archange
Son envergure est le monde

Guéris en juillet
Quand les blés sont murs
Qu'on puisse te récolter

Il y a les oiseaux
Faussaires habités
De guérisons de paille

Des villes mordent le ciel
D'autres déchirent la terre
La guerre attend sans maugréer

Monde soudain bulles hermétiques
Pour le promeneur inconscient
Comment rentrer maintenant ?

Une brise de soie m'a heurté
Je me suis recomposé
Redécouvrant l'air enjoué

Des braconniers abattent
L'oiseau de guérison
Et leur arrachent les plumes

Les très petits oiseaux
De guérison
Sont nés vocation au bec

Ils sont d'une autre langue
Qui pourtant est en toi
Prononcée elle guérit

Tu es le nid l'œuf et
L'oiseau au grand envol
Qui part au pays du guérir

Il a frappé il a
Chanté crié en vain
Tu dormais

Oiseaux partis du Nord
En pompes et triomphes
Vers l'Orient improbable

Un arbre me menace
De devenir feuille aussi
Et pire encore

Quand la mort en dentelles
Se pointait en lieux de querelles
Elle fauchait à la prime

Où n'en quel pays n'en
Quel rêve forger un point
Qui ne finit pas ?

Oiseaux de désirs oiseux
Partant sans lune
Pour guider la guérison

Il t'attend en sifflotant
L'oiseau qui dit oui
L'oiseau qui dit non

Sur ces basaltes
Tant d'îles
Se rêvent volcans

Lieu tranquille
Bordé d'idées
Et de passé décomposé

Oiseau de nuit
Oiseau de minuit
Pour voir si tu veilles

C'est la lande de Chausey
Qui nous a fait blés levants
Et roses salées par le vent

Le vieil écrivain pêche
Sans désarmer plume
Immobile sur l'eau du rêve

Imprimé en Allemagne
Achevé d'imprimer en novembre 2022
Dépôt légal : novembre 2022

Pour

Le Lys Bleu Éditions
40, rue du Louvre
75001 Paris